JN082912

入門！

編著＝平野暁臣

興陽館

岡本本

太郎

入門！

もくじ

岡本芸術に
漕ぎ出そう!

　岡本太郎には代わりがいない。後にも先にも彼ひとり。文字どおりの唯一無二。つく
づくそう思います。

　作品が風変わりで個性的だとか、立ち居振る舞いがふつうの美術作家とはかけ離れ
ているとか、全国にあれほどたくさんのパブリックアートをつくった作家はいないとか、そ
ういうことを言いたいわけではありません。

　ぼくが太郎を類のない芸術家だと思うのは、考え得るかぎりの表現媒体を駆使して
己れの世界観を無条件に放射しつづけたこと、そうした膨大な作品群の集大成であり
最高傑作がじつは"作家自身"であったこと、なにより没後四半世紀が経ったいまも多
くの表現者や若者を魅了してやまないことです。

　洋画家として出発した太郎は戦後まもなく立体を手掛けるようになると、後は堰を
切ったように表現のフィールドを拡げていきました。壁画、建築、写真、書、作陶、プロ
ダクト、グラフィック、パフォーマンス…。巨大な《太陽の塔》や《明日の神話》から手の
ひらサイズのネクタイピンまで、果ては飛行船からお寺の梵鐘まで、ありとあらゆるジャ
ンルのクリエイティブワークを社会に送り出したのです。そのなかには、どう贔屓目に見
ても"美術"の範疇から外れてしまっているものも少なくありません。

　いったいなんのために?

　一言でいえば、世の中に"岡本太郎という芸術"を届けるためだったとぼくは考えます。
生きることの根源のありようを"芸術"と呼んだ太郎にとって、芸術とは「なにをつくる

か」ではなく「どう生きるか」。一般の作家のように売るために作品を生産していたわけではなく、つくりたいからつくっただけ。作品はいわば"岡本太郎という生き方"のエビデンスのようなものでした。

じっさい太郎は「高く売るためにつくられる芸術なんて卑しい」と言って、高値でさばける一点モノの絵は売らず、代わりにさまざまなマルチプル（＝工業的に量産された作品）やパブリックアートをつくりました。"作品という名の商品"をつくることが創作行為の目的でありゴールである普通の作家とは、モチベーションと芸術観がまるでちがうのです。

太郎が遺した膨大な作品群から最重要作をひとつ選べ。こう問われたら、ぼくなら迷わず「人間・岡本太郎」と答えます。岡本芸術最大の作品は、岡本太郎という存在その・・・・・ものだと考えるからです。言い換えれば、太郎が生涯をかけてつくりあげた唯一最大の作品、それが「岡本太郎」です。

太郎は生涯をかけて"岡本太郎という芸術"を社会に投げ入れました。

「あなたは絵描きでありながら文章も書く。どちらが本職なのか」。そう問われたとき、即座に「人間だ」と答えたのは、けっしてレトリックではありません。それが岡本芸術の核心であり、そうとしか答えようがなかったのです。

クリエイティブでありたいと願う若者たちを太郎がいまも惹きつけて離さないのは、けっして偶然ではない。先が見えず閉塞感に覆われる時代だからこそ、「岡本太郎」が必要なのです。もしいま太郎が生きていたら、もし太郎みたいな人間になれたら──。

ぼくが館長を務める東京・南青山の岡本太郎記念館には連日多くの若者がやってくるけれど、彼らはただ絵を見に来ているわけではありません。太郎の気配に包まれ、太郎の息吹を感じながら「岡本太郎」と語らいたい。おそらくそう考えています。彼らにとって岡本太郎は単なる芸術作品の制作者ではない。視界にとらえているのは、作品の向こうにいる「人間・岡本太郎」です。

若者たちにとって岡本太郎は教科書で学ぶ"歴史上の偉人"などではなく、これからの人生をともに歩む"人生の伴走者"。太郎の存在はあくまで"ライヴ"であって、ベクトルは過去ではなく未来を向いています。

かつてこんな芸術家がいたでしょうか？

本書を手に取ったみなさんはいま、TARO WORLDへのゲートに立っています。先に広がっているのは広大深遠な岡本芸術の世界です。進むも引き返すも自由。ただ、ひとつだけたしかなのは、太郎を知らないより知って生きるほうが格段に楽しいということ。

本書を海図に、岡本芸術に漕ぎ出してみませんか？

平野暁臣

《双子座》1974　《喫煙者》1951　　《赤》1961　　　《散歩》1980

《歓喜》1963　《飛ぶ眼》1961　《リョウラン》1963　《創世記》1982

《天空に我あり》1975

原色への誘い

4

渦巻ぐいのぢ"

TARO Okamoto 64.

芸術は呪術である

《愛撫》1964

芸術は呪術である。人間生命の根源的混沌を、もっとも明快な形でつき出す。人の姿を映すのに鏡があるように、精神を逆手にとって呪縛するのが芸術なのだ。

ふたつの太陽

「**進**歩」「調和」どちらも美しい言葉だ。昔から人間の理想、目的とされ、追い求められてきたのだが、しかし果たしてわれわれの進歩のあり方は本当にこれでよいのか。そして現代の世界において、調和とは何なのか。

メキシコだから、骸骨でいいんだよ。"死者の祭り"という、骸骨が町中にあふれる祭りもあるし、メキシコ人にとっては死と生は背中あわせなんだ。これがパリや東京だったら、とてもこんな絵は描けないけどね。

生活
こそが芸術だ

《鯉のぼり》1980
《マミ会館》1968　《光る立体大壁画》1971

本職？ そんなものありませんよ。バカバカしい。もしどうしても本職っていうんなら、「人間」ですね。芸術なんて、道ばたに転がっている石ころと等価値だ。芸術に憧れたり、芸術が大変なものだと思っているやつに芸術家がいたタメシはない。

芸術は、ちょうど毎日の食べものと同じように、人間の生命にとって欠くことのできない、絶対的な必要物、むしろ生きることそのものだと思います。失われた自分を回復するためのもっとも純粋で、猛烈な営み。自分は全人間である、ということを、象徴的に自分の姿の上にあらわす。そこに今日の芸術の役割があるのです。

"岡本太郎"の誕生

　芸術家・岡本太郎を育んだのは1930年代のパリでした。

　18歳でパリに渡った太郎は、若干22歳で抽象芸術運動の母体「アプストラクシオン・クレアシオン協会」に参画します。しかし抽象の枠から外れた《傷ましき腕》をきっかけに脱会すると、今度はシュルレアリスムのリーダー、アンドレ・ブルトンが同作を第1回シュルレアリスム展に招待。抽象とシュルレアリスムという20世紀美術の"2大流派"に迎えられるという異例のキャリアを手にしたにもかかわらず、太郎は美術の世界から離れ、パリ大学で人類学の父マルセル・モースに民族学を学ぶ道を選びます。単なる絵描きで終わりたくない、人間という存在をもっと知りたい、そう考えたからです。

　この経験は決定的でした。一般の美術作家とは次元の異なる発想や行動の底流には、このとき獲得した世界観と思考回路が大きく影響していることは疑いありません。太郎は最先端の思想と芸術が華ひらいた二つの大戦間のパリで、世界最高レベルの知性と交わりながら、自らの芸術観と行動規範を確立していきました。

　20世紀美術の胎動に生々しく立ち会い、30年代のパリが生んだ知の最前線を全身で浴びた、たったひとりの東洋人。それが岡本太郎なのです。

《敗惨の歎き》1925

太郎が14歳のときに描いた水彩画。当時在籍していた慶應義塾普通部が春の対抗ボートレースで商工部に敗れた。その悔しさを表した本作は、同級生の間で回覧していた同人誌『陽炎』の口絵になった。勝った商工部の記章「CT」と緑色の応援旗が描かれている。中学生とは思えない構想力と画力に驚かされる。

夢　幻に浮遊していたリボンが、突然、結ばれた。そして、傷ついた腕が、現実に耐えて拳を握りしめたのだ。これは純粋抽象との告別であった。「傷ましき腕」この凝結はそれなりにひとつの完成を示した。だがそれでも、わたしの心の中の傷口、矛盾はいやされなかった。ますます傷口は裂けた。

《傷ましき腕》1936/1949

太郎は日ごろ複数の制作を同時進行させるが、この作品だけは最初の半年間は他の作品を描かずに専念、完成までに10か月を費やした。展覧会で本作を見たアンドレ・ブルトンに国際シュルレアリスム展への出品を勧められ、1938年開催の同展に出品。帰国後の戦災で焼失したが、戦後、もう一度展覧会で見せて欲しいとの声に応えて再制作した。

太郎が23歳になる直前に仕上げたパリにおける最初の重要作。戦災で焼失したが、1954年になって太郎自身が記憶をもとに再制作した(左)。

青春のペーソスと、気格が凝って結晶した、私にとってなつかしい作品であるとともに、現在の私の仕事として発表しても、みじんも恥ずかしくない筋がとおっているようだ。ふりかえって、二十数年、みゃくみゃくと一つの方向をつき進んで来た、思い出の指標である。

《空間》1954 （再制作） ｜ 《空間》1934

《コントルポアン》1954（再制作） ｜ 《コントルポアン》1935

《花の人》1937

《雲》1935 　《リボンの祭》1935

《空間Ⅲ》1934 　《幸なき楽園》1936

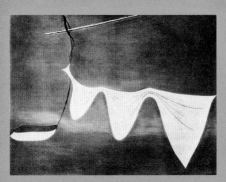

ぼくはパリで、人間全体として生きることを学んだ。画家とか彫刻家とか一つ職業に限定されないで、もっと広く人間全体として生きる。それがぼくのつかんだ自由だ。

原色への誘い

「日本に帰ってきたら、あじ、わび、しぶみ、さびばっかりでしょう。抒情性というものと闘わなければいけないと思った。これは芸術的な運動ではなくて、社会的な闘いなんだ。原色をつき出し、激しい不協和な絵を描いた。そのために憎まれた」

　中国での俘虜生活を経て1946年6月に復員。文字どおりゼロからの出発となった岡本太郎は、活動を再開させた瞬間から日本美術界との対決姿勢を鮮明にします。「私は展覧会などを見て呆れていた。会場に入っていくと、全作品が暗灰色だ」「多数の作家のが並んでいるのに、全部同じに見える」

　パリで最先端の芸術を全身に浴びた太郎にとって、日本の状況はガラパゴスと映ったにちがいありません。そしておそらく、目を覚ますためにはショック療法が必要だと考えたのでしょう。太郎は〝灰色〟が跋扈する美術界にあえて原色をぶつけました。〝色音痴〟と罵られながらも、次々と大作を発表していったのです。

　むろん画壇からは目の敵にされ、批評家たちもみな目障りなヤツと苦々しく思っていました。ある長老の美術評論家などは「岡本太郎が10年後も残っていたらオレの首をやる」と公言していたくらいです。

　しかし太郎は潰れませんでした。無数の火の粉を被りながら原色を突き出し、「激しい不協和の絵」を描きつづけたのです。

《眠る兵士》1945

中国戦線に出征した太郎は、束の間の休息時間にスケッチを描いた。本作は昼寝をする同僚兵士を描いたもの。戦後も現地で俘虜生活を強いられていたが、いよいよ復員がはじまる1946年4月、太郎は描きためていたスケッチをまわりの兵士に配った。このデッサンは、隣の部隊にいた画家の兵士が上官を通じて手に入れ、持ち帰ったもの。2001年に岡本太郎記念館に寄贈された。

21

私は展覧会などを見て呆れていた。会場に入っていくと、全作品が暗灰色だ。いわゆる〝わび・さび・しぶみ〟。徳川後期あたりからのゆがんだ筋をただなぞっているよう。多数の作家のが並んでいるのに、全部同じに見える。それぞれの個性がないのだ。洋画のスタイルは1920年代、後期印象派でストップ。何十年もズレている。日本画の方はより単調な手先だけの表現だ。

《重工業》1949

大きな赤い歯車や金属配管が象徴する機械文明と、それに翻弄される表情を失った人々。だが、よくある「抑圧される人間たち」がテーマと思いきや、画面中央の巨大な長ネギがそうした月並みな解釈をケトバしている。具象と抽象、意味と無意味、反対色など、矛盾相反する要素がそのまま併置されたこの作品は、太郎が1948年に発表した芸術思想『対極主義』を体現するものだ。発表当時は「不協和音」「客観性のないズレ」などと酷評された。

22

《電撃》1947

戦後、日本での活動再開直後に描かれた作品。崖の側面に大きな顔、崖の上では閃光に打たれる
男が描かれ、画面を貫く帯状の赤が強い緊迫感を与える。森のなかで雷に打たれる男を描いた本作
は、パリ時代に参加していた秘密結社「アセファル」の秘儀がモチーフであった可能性が高い。1947
年の展覧会に出品以降、長らく所在不明になっていたが、2006年に岡本太郎記念館で発見された。

《面》1975

《ドラマ》1958

TARO

25

老いるとは、衰えることではない。年とともにますますひらき、ひらききったところでドウと倒れるのが死なんだ。

《雷人》1995（未完）

岡本太郎の絶筆。太郎は人生の最期にこんなファンキーな絵を描いていた。シンプルでプリミティブ。完成度はけっして高くないが、ほとばしる情熱とエネルギーを放射するパワフルな絵だ。署名はなく未完。もし太郎が生きていたらこの先どうなっていたかを考えるのも楽しい。

Session 2

渦巻く"いのち"

　岡本太郎は「洋画家」としてキャリアをスタートさせたけれど、絵の内容は普通の洋画家とは大きく異なるものでした。

　美しいパリの街角、テーブル上の果物、ソファに横たわる裸婦…。同世代の洋画家たちが好んだテーマ、すなわち一般的な西洋画題を太郎はいっさい描いていないのです。この点についてはとにかく徹底していて、パリ時代から晩年にいたるまで、作品として発表したものは1枚もありません。

　ではいったい太郎はなにを描いていたのか？ 残念ながら、それがなにを表しているのかは、絵を見ただけではわからない。ただ、ひとつだけはっきりしていることがあります。「眼」です。太郎の絵にはかならず眼が描かれている。しかも多くは複数の眼です。

　具体的なことはわからないけれど、太郎が描いていたのは"生きもの"であり、"いのち"だった、ということだけは疑いありません。岡本太郎は"いのち"を描いた作家でした。

　ギョロギョロっとした眼玉が浮遊する空間のなかに、生命力のエネルギーとその尊厳が誇らかに爆発する。作品に登場するさまざまな生きものたちは、太郎の自画像だったのかもしれません。

　半世紀を太郎とともに歩んだ公私にわたるパートナー岡本敏子はかつてこう言いました。

「人間でもない。動物でもない。
不思議な世界としか言いようのない生きものたち。
不思議な"いのち"が、なまなましく、こちらに迫ってくる。
これは岡本太郎なのか。それとも彼の見つめている、
向こうの世界の象なのか。
——でも、生きている！」

《建設》1956
不明 1962
《二つの顔》1957

29

原爆の予感はわれわれの身にふりかかってくる災害の中で、最もおそろしいものひとつである。それはまたひとつの象徴でもある。人生の中にどのくらい、われわれは耐えなければならない恐怖があるか。ショックのためにわれわれの精神は八ツ裂きにされ、ひんまがり、想像を絶した姿にうちかえられてしまう。

《燃える人》1955

原爆を題材にした作品。第五福竜丸をモチーフにしたと思われる漁船、顔のあるキノコ雲などは、後の《明日の神話》にも登場する。この時期、太郎は《瞬間》《死の灰》など核をテーマにした作品を次々に制作した。前年には第五福竜丸が被爆、この年には原子力基本法が成立している。

《訣別》1973　　《駄々っ子》1951

《まひるの顔》1948　《美女と野獣》1949

33

34

《豊穣の神話》1971

1970年、《明日の神話》を
依頼したメキシコの実業家
が、同じホテルのバンケット
ホールに壁画を描いて欲し
いとリクエストする。高さ9
メートル、幅60メートルとい
う巨大なスケールで、これを
受けて描いた下絵が本作だ。
ホテル建設が頓挫したため
制作には至らなかったが、も
し実現していたら岡本作品
最大の絵画になっていた。

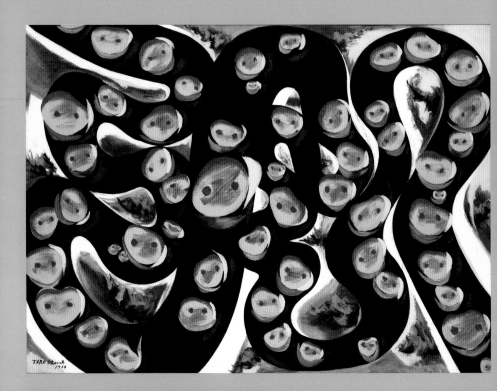

《マラソン》1964 　《黒い太陽》1949

《二人》1948

《日の壁》1956

建築家丹下健三による旧東京都庁舎のために制作した陶板レリーフ壁画7作品のひとつで、回廊のある吹抜け空間に設置されていた。旧都庁舎の仕事は、後に国立代々木競技場、大阪万博へとつづく丹下とのコラボレーションのきっかけになった。1991年、新都庁舎への移転により建物が解体された際に、この壁画群も一緒に廃棄されてしまった。

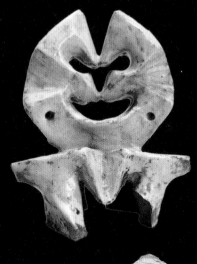

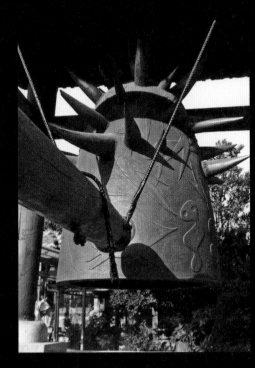

《誇り》1962	《雑草》1956	不明
《笑い》1952		《四つ足》1956
《むすめ》1981	《踊り》1982	《歓喜》1965

《太陽の鐘》1966（2018年前橋に移設）

《動物》1959

《顔》1952

《愛》1961

焦るな。

人のために美しいものを
つくるというよりも、
生命のしるしを、自分に確かめる。

《樹人》1968	《こどもの樹》1985	《犬の植木鉢》1955
	《乙女》1988	《サカナ》1960
	《若い時計台》1966	《縄文人》1982

驚いた。こんな日本があったのか。いや、これこそが日本なんだ。身体中の血が熱くわきたち、燃えあがる。すると向こうも燃えあがっている。異様なぶつかりあい。これだ！まさに私にとって日本発見であると同時に、自己発見でもあったのだ。

縄文との出会い

1951年11月、岡本太郎は東京国立博物館でぐうぜん縄文と出会います。奔放、躍動、破調、ダイナミズム……。縄文土器が湛える驚くべき空間感覚に驚愕した太郎は、底流にあるすさまじいまでの生命力を直観し、そこに借り物ではない「オリジナルの日本」を感知します。"モダニズムでもジャパネスクでもない日本""五重の塔でもニューヨークやパリの影でもない日本"です。翌年早々に「四次元との対話──縄文土器論」を発表。考古学の研究対象に過ぎなかった縄文を芸術文化のステージに引き上げる視座を提供したこの「縄文土器論」が契機となって、やがて縄文再評価の機運が醸成されます。のちに太郎は"縄文の発見者"と称されることになりました。撮影：岡本太郎

まことに、芸術っていったい何なのだろう。

素朴な疑問ですが、それはまた、本質をついた問題でもあるのです。

芸術は、ちょうど毎日の食べものと同じように、人間の生命にとって欠くことのできない、絶対的な必要物、むしろ生きることそのものだと思います。

しかし、なにかそうでないように扱われている。そこに現代的な錯誤、ゆがみがあり、またそこから今日の生活の空しさ、そしてそれをまた反映した今日の芸術の空虚も出てくるのです。

すべての人が現在、瞬間瞬間の生きがい、自信を持たなければいけない、そのよろこびが芸術であり、表現されたものが芸術作品なのです。

◎

自分自身に充実する。——電気冷蔵庫を置いたり自家用車をもって、生活が楽になる。そんないわば、外からの条件ばかりが自分を豊かにするのではありません。他の条件によってひきまわされるのではなく、自分自身の生き方、その力をつかむことです。それは、自分が創りだすことであり、言いかえれば、自分自身を創ることだといってもいいのです。

だがどうやって?

それをこれからお話ししようと思います。私はそこに、芸術の意味があると思うのです。それは現代社会においてこそ、とくに必要な、大きな役割として、クローズアップされています。

それは一言でいってしまえば、失われた人間の全体性を奪回しようという情熱の噴出といっていいでしょう。現代の人間の不幸、空虚、疎外、すべてのマイナスが、このポイントにおいて逆にエネルギーとなってふきだすのです。力、才能の問題ではない。たとえ非力でも、その瞬間に非力のままで、全体性をあらわす感動、その表現。それによって、見る者に生きがいを触発させるのです。

失われた自分を回復するためのもっとも純粋で、猛烈な営み。自分は全人間である、ということを、象徴的に自分の姿の上にあらわす。そこに今日の芸術の役割があるのです。

(『今日の芸術』光文社 1954年より抜粋)

どうして芸術なんかやるのか——。

創らなければ、世界はあまりにも退屈だから作るのだ。

イマジネーションによって、宇宙と遊ぶのだ。たとえば絵画は渾沌の夢を実現し、粘土をひねるのは、物体に新たな驚きを生み出すことだ。詩は自然の彩りを変える。惰性的な空気の死毒におかされないためにも、人間は創造しなければならない。

魚がいつも新しい水の中で泳ぐように、無償に、あふれる行為である。

子供が嬉々としてはねまわり、無心に遊び熱中する。宇宙がそれを中心にひっくりかえっているような生命感。

大人になるとほとんどが、そんなふうに遊ばない。あふれない。すべての動作が合目的的、それだけに躍動感がない。たとえ遊んでいるつもりでも、チンマリ功利的だ。そして生命の奥底では、本当に遊ぶことのできない己れに絶望しているのだ。

◎

大事なことは、功利的でない、無目的な生のよろこびに全身をぶつけ、真剣に遊ぶことだ。空しい目的意識や卑小な合理主義にふりまわされてしまわないで。自分が〈何々である〉とか〈何々ができる・できない〉ということよりも、〈こうありたい〉、〈こうしたい〉ということのほうを中心に置く。その欲望が実体なのだ。遊びにおいてこそ、無条件の生きがいとプライドをつかみ取ることができるはずである。

形式は何であってもいいのだが、芸術などはさしづめ、誰でもが直ちに無条件に参加でき、しかもたいへん深刻で、多彩な遊びであるといえよう。

現代人は小利口だし、物が見えすぎている。行く先も、自分の限界も。だから、自分の責任において遊び、闘い、芸術する、そしてトコトンまで自分をひらこうなんてことは、この世の中では無理なんだ、と決めてしまっている。そこに空しさがある。できなくってもいい。が、やるべきだ。〈遊び〉だからだ。

もし自分に才能がないと思うなら、才能のないというポイントに自分を賭ければいいではないか。私なども芸術の仕事をしているが、〈才能〉なんか頼りにはしない。いかに才能によらない仕事をするか、と絶望的に自分を追いつめる。そこに人間がひらくのだと思っている。つまり芸術である。とかく、オレは才能がないとか、充実していないと言って、引っ込んでしまう。また周囲がそんなことを言って押えつけようとする。まことに、自他ともに八方ふさがりである。だがそこで引っ込んでしまうから、逆に、生活が無内容に、充実しなくなってしまうのだ。

もっと平気で切実であるべきだ。それが〈遊びの精神〉というものだ。そして芸術の神髄でもある。

45

車出入口につき
駐車おことわり

岡本芸術の拠点

1954年、岡本太郎は幼少期を両親と暮らした南青山に念願のアトリエを構えます。新たな芸術運動の拠点にしたいとの思いから、この場所を「現代芸術研究所」と名づけ、パリで体得した20世紀芸術の精神を日本に伝えようと考えました。

設計を依頼したのはパリ時代の盟友・坂倉準三。ル・コルビュジェのもとで建築を学んだ日本を代表する建築家で、現場はコルビュジェ最後の弟子・村田豊が担当しました。乏しい予算のなかで、ふたりは岡本太郎にふさわしい独創的な建築をつくりあげます。

アトリエを手に入れた太郎は、創作領域を一気に広げていきました。絵を描くだけだったそれまでとは打って変わって、壁画、彫刻、作陶、インテリア、プロダクト、グラフィックなど、新しい表現ジャンルを次々と開拓していったのです。

1996年に亡くなるまで、太郎はここを離れませんでした。太陽の塔、明日の神話、こどもの樹…、すべてここで生まれたもの。まさしく岡本芸術のゆりかごでした。

Session 3

芸術は呪術である

　芸術は呪術である。岡本太郎がそう言ったのは1960年代半ばのことでした。

　時をおなじくして、太郎の作風は大きく変わります。色とりどりの原色がキャンバスいっぱいに広がり、繊細な筆致できっしりとキャラクターを描き込んでいたそれまでとは打って変わって、どこか梵字にも似た黒々と抽象的なモチーフが画面を支配するようになったのです。《森の掟》に代表される絵本のような明るい物語性は影を潜め、暗く不気味な"御神札"のような世界になりました。

　この間になにがあったのか。発端はおそらく縄文との出会いでしょう。縄文土器をとおして、自然と闘い、自然と溶けあいながら生きた縄文人たちの自由と尊厳を観取した太郎は、それこそが"ほんとうの日本"なのだと考えました。いまは弥生に犯され、官僚的な管理社会に甘んじているけれど、我々の血のなかには獲物を追いながら誇らかに生きた狩猟時代の記憶が刻まれているはずだ、とも考えたでしょう。

　1957年から60年代半ばにかけて、その思いが確信に変わる出来事が起こります。日本各地を取材の旅でめぐったことで、多くの発見と出会ったのです。とりわけ刺激的だったのは東北と沖縄でした。

　秋田のなまはげに人間と霊が自在に交信する原始日本の名残りを見たり、岩手の鹿踊りに「人間が動物を食い、動物が人間を食った時代」の呪術的儀礼の伝統を感知したり…。沖縄では、生きるシャーマン・久高ノロと出会い、女たちの秘儀・イザイホーを体験します。

　東北で原始日本の片影に触れ、沖縄でその心が脈々と受け継がれている姿を目の当たりにして、日本人の血のなかにいまも呪術の心が宿っていることを確信したにちがいありません。

　それは1967年からはじまる大阪万博の仕事に大きく作用しました。「縄文の精神を呼び覚ませ！」。このメッセージこそが、太陽の塔の核心だとぼくは考えています。

芸術は呪術である。まず己を呪縛する。己にとって、神秘であり、不可解である。自分自身、価値づけられない。自分にとっても価値を超越したものが一つあるということ、それが大事だと思うのだ。

《予感》1963
《若い闘争》1962

《顔Ⅳ》1970 　　　　　　　　《石と樹》1977

《虫》1973 　　　《エクセホモ》1963 　　《想念》1962

TARO Okamoto 63.

《アドレッサン》1961 　　《赤のイコン》1961

《跳ぶ》1963 　　　　　《黒い生き物》1962

《暴走》1963 　　《哄笑》1972

アカデミックな中央の権力、その官僚性によって、不当に押しつぶされ、過去に埋もれてしまった。この日本人の魂。それをえぐり出し、解き放ち、われわれの芸術にとって最も緊急であり、由々しき問題としてぶつけていく。それは他ならぬ私自身の使命ではないか。

《なまはげ》
秋田・男鹿 1957

《鹿踊り》
岩手・花巻温泉 1957

《イタコの口寄せ》
青森・川倉 1962

《巫女》
青森・恐山 1962

《羽黒山の松例祭》
山形・出羽三山神社 1962

《オシラさま》
青森・八戸 1962

東北へ

1957年から60年代半ばにかけて、岡本太郎は日本各地を取材する旅に出ます。きっかけは『藝術新潮』の連載企画「芸術風土記」。日本を縦断しながら独自の視点で日本文化を読み解いていこうというものでした。太郎は自ら撮影機材をかついで敏子とふたりで全国をめぐります。最初が東北でした。貧しく閉ざされた50年代の東北。そこで太郎は人間と霊が自在に交信する原始日本の名残り、いわば目に見えない力と対話する"呪術の心"に触れます。ただの貧しい田舎と見なされていた暮らしのなかに日本文化の源流が脈々と息づいていることを見て取った太郎は、その感動を見たままに切り取りました。太郎の写真は「作品」ではありません。太郎の視線そのものです。撮影：岡本太郎

この南の素っ裸の島から、遠くふりかえってみると、私は「日本」を深い歴史の層の下から、あらためて再発見する思いだった。目がさめたとき、あたりが不意に新しい世界のようにうつる、あの清々しさである。日本全体も、本当はこのように素っ裸なのだ。

《久高ノロ》
久高島 1959

《イザイホー》久高島 1966

《フボー御嶽》　　《斎場御嶽》
久高島 1959　　　南城 1959

沖縄へ 1959年11月、岡本太郎は米国占領下の沖縄を訪れました。骨休めの観光旅行だっ
たはずなのに、着いたとたんに沖縄の魅力に引き込まれた太郎は、夢中でシャッター
を切っていきます。つぎつぎに口からあふれ出る言葉をあたりの紙に懸命に書き留める敏子。やがてそ
れは『沖縄文化論』に結晶します。ふるえるほど沖縄に感動した太郎は「これこそ、オレたち自身なんだ
ぞ、日本そのものなんだぞ」と言いました。それは岡本太郎の全存在をゆすぶり動かした清冽な感動で
した。忘れられた日本、現代人が押しやってしまった日本がここにある。ここが"ほんとうの日本"なんだ
と。縄文とおなじように、太郎は沖縄で日本を発見し、自己を発見したのです。撮影: 岡本太郎

《樹霊》1970　　　《午後の日》1967

《千手》1975

《樹霊Ⅱ》1970

財産が欲しいとか、地位が欲しいとか、あるいは名誉なんてものは、ぼくは少しも欲しくない。欲しいのは、マグマのように噴出するエネルギーだ。

《戦士》1968

《ノン》1970

芸術？そんなものは日ゴロゴロゴロじゃれー

Session 4

ふたつの太陽

　高さ70mの建築《太陽の塔》と、幅30mの壁画《明日の神話》。

　岡本太郎が遺した最大の"彫刻"と最大の"絵画"は、ともに岡本芸術の集大成であり最高傑作というだけでなく、ほぼ同時に構想され、ともに「太陽」をキーワードとする双子のような存在です。

　1967年7月、大阪万博テーマプロデューサーの受諾会見を行った太郎は、翌日から2ヶ月に及ぶ中南米への取材旅行に赴きます。この旅のあいだに両作品の構想を進めた太郎は、帰国直後に《太陽の塔》の最終デッサンを描き、おなじ日に《明日の神話》の最初の油彩下絵を描きました。ふたつの作品の骨格が同時に固まった瞬間です。

　やがて太郎は、産業技術の礼賛一色に染まる万博会場のド真ん中に、無邪気な進歩主義を真っ向から否定する《太陽の塔》を突き立てます。当時多くの者が「反博^{ハンパク}」の旗を振り、太郎自身も「アヴァンギャルドがお上に尻尾を振るのか」と批判に晒されるなか、あえて権力の渦の中心に身を投じ、空前絶後の巨大芸術を実現させたのです。

　いっぽう万博の仕事に忙殺されるかたわら、同時並行で巨大な壁画を描いていました。場所はメキシコシティ。"小さな太陽"ともいわれる原爆が炸裂する瞬間を描いた《明日の神話》です。

　増殖する邪悪な力、逃げまどう生きもの、中央には燃えあがる骸骨…。しかしこの絵は単に惨劇を記録したものではありません。人間はどんな悲劇も誇らかに乗り越えることができる、そしてその先に「明日の神話」が生まれる、というメッセージ。

　しかし不運にも完成後に人目に触れぬまま行方不明になり、2003年にメキシコシティ郊外で発見されたときには変わり果てた姿になっていました。2005年のメキシコでの解体を皮切りに、日本への移送を経て2006年に修復が完了。37年のときを超えてその輝きを取り戻したのです。

人間は太陽だった。

八方にケンランとひらき、いのちのよろこびにあふれていた。

私はそのように根源の人間像を常に夢みる。でなければ何の生きがいか。

巨大な魅力にみちみちた人間像。……幅広く、強烈に与える。与えるために、ひたすら発揚するために人間は生きてきたのではないか。

だが現実は何という違いだろう。他をしぼることばかり。

そして、しぼりとられることへの反抗。惨めな争い。

私たちはいつも、かつての存在を再獲得することに賭けなければならない。

惜しげなく、太陽のようにふんだんに、みちわたり、与え、輝く。

そのためにはまた、巨大な努力と準備が必要なのだ。

来年、1970年の時点において世界に向かって放たれる光り、万国博。

世界の祭り。ここは巨大なエネルギーのケンランと爆発する場所だ。

私はテーマ・プロデューサーを引き受けるにあたってベラボーなことをやりたい、と公言した。

それは、日本人が日の御子の子孫であるという伝統をもちながら、いかにもチマチマして、スケールが小さいことをつね日ごろ、腹だたしく思っていたからだ。

器用であり勤勉だ。ひどく純粋で、人がよい。それは確かだが、おおらかさという点になると、大いに問題がある。

世界がこのようにひらけた時代に、いま必要なことは、心を外に向かってうちひらくことである。ベラボーに……。

そういう幅をもつことによって、万国博もわれわれの人間像も、明るさとふくらみを発揮し、世界全体の魅力になるだろう。

政治、経済、社会現象……あらゆる機構の網の目はいよいよきびしくなってくる。周囲の現実は、なかなかおおらかになどなり得ない状況だ。

しかし、だからこそ万国博のような無償の祭りは貴重である。それをきっかけにして人間本来の生命をうち出したい。うち出すべきだと思う。

巨大な生産に対応する巨大な消費

それをみごとに使いきる生命力

そして強烈な消費のうちに

さらに爆発的な生命力の拡大を夢みるのである。

（大阪新聞1969.1.1）

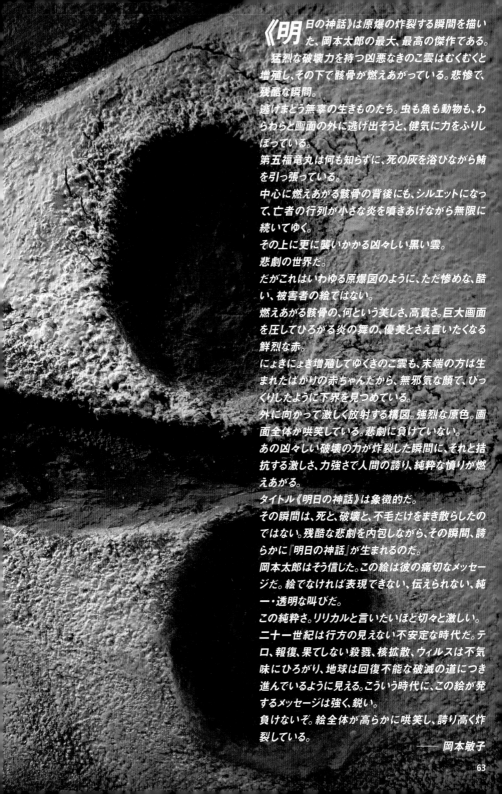

《明日の神話》は原爆の炸裂する瞬間を描いた、岡本太郎の最大、最高の傑作である。

猛烈な破壊力を持つ凶悪なきのこ雲はむくむくと増殖し、その下で骸骨が燃えあがっている。悲惨で、残酷な瞬間。

逃げまどう無辜の生きものたち。虫も魚も動物も、わらわらと画面の外に逃げ出そうと、健気に力をふりしぼっている。

第五福竜丸は何も知らずに、死の灰を浴びながら鮪を引っ張っている。

中心に燃えあがる骸骨の背後にも、シルエットになって、亡者の行列が小さな炎を噴きあげながら無限に続いてゆく。

その上に更に襲いかかる凶々しい黒い雲。

悲劇の世界だ。

だがこれはいわゆる原爆図のように、ただ惨めな、酷い、被害者の絵ではない。

燃えあがる骸骨の、何という美しさ、高貴さ。巨大画面を圧してひろがる炎の舞の、優美とさえ言いたくなる鮮烈な赤。

にょきにょき増殖してゆくきのこ雲も、末端の方は生まれたばかりの赤ちゃんだから、無邪気な顔で、びっくりしたように下界を見つめている。

外に向かって激しく放射する構図。強烈な原色。画面全体が哄笑している。悲劇に負けていない。

あの凶々しい破壊の力が炸裂した瞬間に、それと拮抗する激しさ、力強さで人間の誇り、純粋な憤りが燃えあがる。

タイトル《明日の神話》は象徴的だ。

その瞬間は、死と、破壊と、不毛だけをまき散らしたのではない。残酷な悲劇を内包しながら、その瞬間、誇らかに『明日の神話』が生まれるのだ。

岡本太郎はそう信じた。この絵は彼の痛切なメッセージだ。絵でなければ表現できない、伝えられない、純一・透明な叫びだ。

この純粋さ。リリカルと言いたいほど切々と激しい。

二十一世紀は行方の見えない不安定な時代だ。テロ、報復、果てしない殺戮、核拡散、ウィルスは不気味にひろがり、地球は回復不能な破滅の道につき進んでいるように見える。こういう時代に、この絵が発するメッセージは強く、鋭い。

負けないぞ。絵全体が高らかに哄笑し、誇り高く炸裂している。

—— 岡本敏子

私の作ったものは、およそモダーニズムとは違う。気どった西欧的なかっこよさや、その逆の効果をねらった日本調の気分、ともども蹴とばして、ぼーんと、原始と現代を直結させたような、ベラボーな神像をぶっ立てた。

《太陽の塔》1970

高さ70m、基底部の直径20m、腕の長さ25m。腕から下が鉄筋コンクリート、上が鉄骨のハイブリット構造でできている。頂部に未来を表す〈黄金の顔〉、腹に現在を表す〈太陽の顔〉、背に過去を表す〈黒い太陽〉の3つの顔をもち、万博当時は正面がメインゲートを、背面が「お祭り広場」を向いていた。1975年に永久保存が決まった。

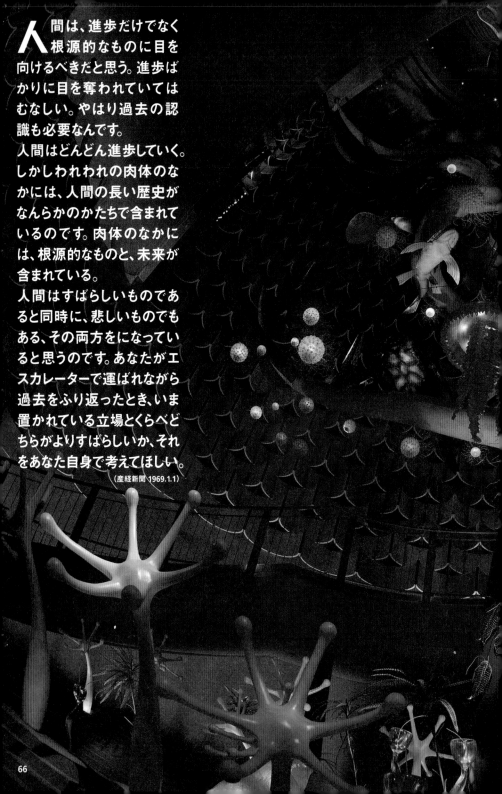

　人間は、進歩だけでなく根源的なものに目を向けるべきだと思う。進歩ばかりに目を奪われていてはむなしい。やはり過去の認識も必要なんです。

　人間はどんどん進歩していく。しかしわれわれの肉体のなかには、人間の長い歴史がなんらかのかたちで含まれているのです。肉体のなかには、根源的なものと、未来が含まれている。

　人間はすばらしいものであると同時に、悲しいものでもある、その両方をになっていると思うのです。あなたがエスカレーターで運ばれながら過去をふり返ったとき、いま置かれている立場とくらべどちらがよりすばらしいか、それをあなた自身で考えてほしい。

（産経新聞 1969.1.1）

《生命の樹》1970 / 2018

塔内には〈生命の樹〉と名づけられた高さ
41mの巨大オブジェがそびえている。1本の
樹にびっしりと"生って"いるのは、単細胞生
物から旧石器時代の人間までの33種のいき
もの。万博当時、テーマ館の観客は5基のエ
スカレーターを乗り継ぎながら〈生命の樹〉の
周りをのぼっていった。塔内は万博閉幕後
に閉鎖されたが、2018年に再生を果たし、現
在は恒久展示施設として一般に公開されて
いる(写真は2018年)。

〈生命の樹〉は "いのち"の歴史

根源から立ちのぼり、未来へと向かう生命力のダイナミズム。そして生命の尊厳。〈生命の樹〉は岡本太郎の思想を体現するものであり、みずみずしく躍動する生命のエネルギーを表現したものだ。半世紀ぶりに再生を果たした塔内は、現代の技術を駆使し、当時の設計思想をよりダイナミックに演出している。

〈地底の太陽〉ゾーン

塔内再生に際して塔内へのプロローグ空間が新設された。万博当時、観客が地下展示「過去：根源の世界」を観たあとに塔内に進んだことに鑑み、テーマ館の最初に位置していた地下展示の雰囲気を体感する空間だ。主役は岡本太郎がつくった巨大な仮面〈地底の太陽〉。万博後に行方不明となっている〈地底の太陽〉を復元し、これを中心に仮面や神像、映像や照明などを組みあわせてテーマ館の世界観を伝えている。

1970年3月に開幕したアジア初の万博会場のド真ん中に、太陽の塔は立っていました。シンボルゾーンに架けられた〈大屋根〉に穴をあけ、70mの高みから会場を睥睨する姿はインパクト絶大で、万博随一のアイコンになって日本全国に伝播します。太陽の塔が突き抜いた〈大屋根〉は、わずか6本の柱で3ヘクタールの屋根＝床を空中にもちあげるという前代未聞の構造体で、〝世界のタンゲ〟と呼ばれた建築家・丹下健三が提案する「空中都市」の雛形でした。まさしく「技術の進歩が未来をひらく」という万博精神の体現だったわけです。

いっぽう太古からそこに居たような太陽の塔の態度は正反対。あの異様な風体は西洋の近代思想とも和の伝統とも無縁であり、あきらかに進歩主義の対極にあります。

矛盾や対立を調和させず、引き裂いたまま同在させよ。新しい芸術は両極の緊張がもたらす火花のなかにしか生まれない。それが岡本太郎の芸術思想（＝対極主義）なのです。

大阪万博テーマ館
地下展示
「過去：根源の世界」

《いのち》

発見されて間もないDNAの二重螺旋やタンパク質が5億倍に引き伸ばされて空間全体を美しく覆い、観客自身を包み込む。中央には受精卵のような35面の球形スクリーン。そこに多様な生命の誕生シーンが次々と映し出される。原始の地球に最初の"いのち"が生まれ、そのいのちが多彩ないきものを育む。DNAはいのちの言葉で、タンパク質はいのちの身体。岡本太郎はいのちの神秘を語ることからテーマ館の物語をはじめた。

《ひと》

自然を敬い、自然を怖れ、自然と溶けあいながら生きた狩猟時代の闘争のドラマが、呪術的な気配を漂わせながら大空間に広がっている。具象的な人像と抽象的なオブジェ、さらには岡本太郎の彫刻までもが渾然一体となった芸術的な構成は、いま見てもクリエイティブでエキサイティング。まさしく空間そのものが芸術だった。

《いのり》

世界の隅々から集められた無数の仮面と神像が剥き出しのまま中空に浮いている。神、精霊、ひとのこころに働きかける目に見えないものたち……。神々の森に迷い込んだような神秘的で呪術的な空間だ。司祭は岡本太郎がつくった〈地底の太陽〉。ふたつの眼を見開いているが、口も鼻もない。太郎の仮面と土着の神像が共鳴する地下空間は、まるで原始の祝祭が執り行われる迷宮のようだ。

太陽の塔 再生プロジェクト（2012.10〜2018.3）

大阪万博後に固く扉を閉ざしていた半世紀のあいだに生物群の多くは失われ、かろうじて残っていたものも大きく傷んでいました。残された資料を手掛かりに、また当時の関係者にアドバイスをもらいながら進めた復元作業で大切にしたのは、岡本太郎やスタッフたちが考えていたこと、表現したかったこと、やりたかったこと…、すなわち計画思想です。いま太陽の塔を訪れると、現代の技術を駆使してより躍動的に、よりダイナミックになった〈生命の樹〉をご覧いただけます。

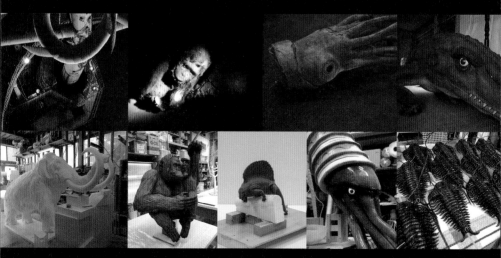

		A				L	
B	C	D	E			M	K
F	G	H	I	J		N	
						O	
						P	

A-再生前の塔内。生物造形はほとんど撤去され、往時の面影はない　B-足元も大きく傷んでいた　C-チンパンジー　D-オルトセラスペルキドウム　E-劣化が進むマストドンザウルス　F-再制作したマンモスのスチロール原型　G-完成したオランウータン　H-エダフォザウルスの粘土原型　I-完成間近のオーム貝　J-三葉虫　K-生物造形を上から順に取りつけ、足場を解体しながら降りてくる　L-マンモスの設置　M-クリプトクレドウスの設置　N-マストドンザウルスの設置　O-原生生物群の設置　P-照明演出プログラムの制作

《明日の神話》1969

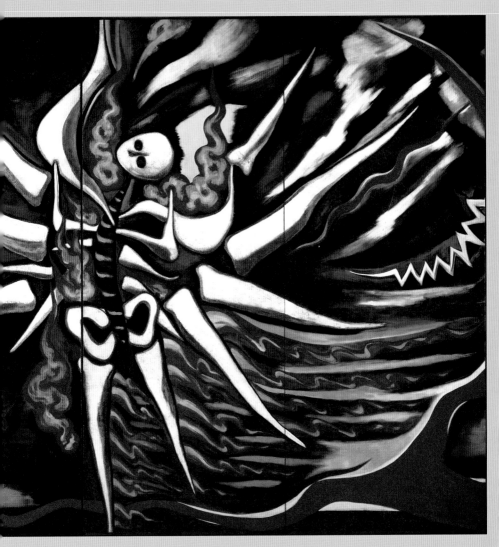

メキシコオリンピックの開幕に向けて中南米最大のホテルを建設中だった実業家から壁画制作を依頼された岡本太郎は、一気に木炭デッサンを描きあげたあと、順にサイズを拡大しながら5枚の油彩下絵を用意し、メキシコシティでの制作に臨んだ。大阪万博テーマ館の準備で多忙を極めていたスケジュールの合間を縫うように現地に足を運び、1969年に完成させる。だが資金繰りの行き詰まりからホテルは完成せず、やがて壁画は取り外されて行方不明に。2003年、岡本敏子が郊外の資材置き場にひっそりと保管されていたところを確認するが、《明日の神話》は大きく損傷していた。これを契機に日本へ移送・修復するプロジェクトが発足。2006年に修復が完了し、2008年に渋谷駅通路に恒久設置された。

A		F
B		G
C	D	
E		

A-筆致から一気呵成に描いたと思われる木炭デッサン。のちに30mになる作品の構成要素が
ほぼすべて織り込まれている　B-最後に描いた1/3縮尺の下絵。下絵といえども10.5m×1.8m
の巨大サイズだ　C-下絵を拡大していく太郎。このステップを踏まなければ30mの壁画は描けな
い　D-現地で作業する太郎。奥には幅7.3mの1/5サイズの下絵がある　E-粗末な足場、箒のよ
うな筆で仕上げていく　F-修復を終え、日テレ・ゼロスタ広場でお披露目された（2006.7.8〜8.31）
G-渋谷駅通路で1日30万人を見下す《明日の神話》

明日の神話 再生プロジェクト（2004.10〜2008.11）

およそ30年ぶりに姿を現した《明日の神話》は、無残な相貌に変わり果てていました。半屋外に放置されていたために、画面は縦横にひび割れ、欠損部分も多く、ひどく汚れていたのです。縦5.5m×横4.5mのコンクリートパネルが7枚。このままでは大きすぎて運べないため、ひび割れに沿って解体。ピースは大きいもので100、破片まで含めれば8000にのぼりました。そのすべてを日本に持ち帰り、元通りに復元したのです。ジグソーパズル状態でメキシコを発ってから1年あまりという驚異的なスピードで修復を終え、2006年7月に初公開の日を迎えました。

	A		F		J
B					
	C		G		
D	E		H	I	
					K

A-大きく損傷していた《明日の神話》 B-補強パネルを添えて吊りあげる C-ひび割れに沿って切断 D-壁画より一回り大きいガラスのステージにうつ伏せに寝かせ、接合後に背面を補強 E-作業はステージ下から画面を確認しながら行った F-綿密な準備と高度な技術を駆使して作業を行った修復チーム G-失われた色を入れていく修復家・吉村絵美留 H-修復には手術用の顕微鏡も使われた I-レリーフ状の骸骨を再生 J-補強を終えたパネルから建て起こし、画面修復へ K-2008年11月17日、設置工事が完了し、ついに除幕の日を迎えた

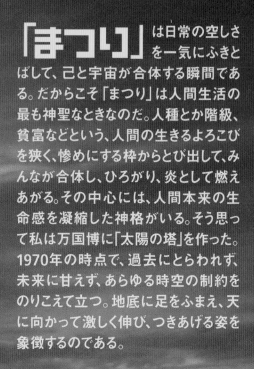

「まつり」は日常の空しさを一気にふきとばして、己と宇宙が合体する瞬間である。だからこそ「まつり」は人間生活の最も神聖なときなのだ。人種とか階級、貧富などという、人間の生きるよろこびを狭く、惨めにする枠からとび出して、みんなが合体し、ひろがり、炎として燃えあがる。その中心には、人間本来の生命感を凝縮した神格がいる。そう思って私は万国博に「太陽の塔」を作った。1970年の時点で、過去にとらわれず、未来に甘えず、あらゆる時空の制約をのりこえて立つ。地底に足をふまえ、天に向かって激しく伸び、つきあげる姿を象徴するのである。

Session 5
生活こそが芸術だ

　もう額縁入りの芸術の時代ではない。生活環境そのものが芸術でなければならない。チンマリした固定観念、おていさいから離れて、濃くいろどられた自由なイマジネーション。その喜びをふんだんに生活に取り入れてほしい。

　芸術は民衆(ビープル)のもの。無償無条件。それが岡本芸術の根幹です。

　芸術はけっしてマニアの占有物ではないし、スノッブの教養でもない。高く買ってもらうためにシナをつくる“商品”でもなければ、金持ちが貯金代わりに溜め込むような“資産”でもない。民衆の暮らしのなかに生きるものであり、もっと言うなら暮らしそのものなのだ。

　そう考えていた太郎は、絵を売らず、その代わりに日本全国にパブリックアートをつくりました。絵は売ってしまったら二度と民衆の目に触れる機会がなくなるのに対して、公共の場に立つパブリックアートはいつでもだれでもタダで楽しめるからです。

　おなじ理由から無数のマルチプルをつくり、暮らしのなかに送り込んでいきました。テーブル、イス、絨毯、ネクタイ、スカーフ、浴衣、振袖、トランプ、スキー、バッグ、カップ……etc. その表現領域はありとあらゆるジャンルにおよんでいます。

　「グラスの底に顔があってもいいじゃないか!」というテレビCMで一斉を風靡した《顔のグラス》はウイスキーのオマケでした。そんなことをしたら芸術家としての価値を下げるだけだ、と反対する周囲の人たちに、太郎は「タダでなにが悪いんだ。タダならだれでも手に入る。みんな嬉しくなる。それのどこが悪いんだ!」と譲りませんでした。

　芸術は太陽のようなものだ。太陽は「あったかかったろう。じゃ、いくら寄越せ」なんて言わないだろ?

　そう考える太郎にとって、芸術とは生活であり、生きることそのものだったのです。

「暮らしのなかの芸術」展

振袖からトランプにいたるまで、岡本
太郎が暮らしのなかに送り込んだ多
彩なアイテムが一堂に会した岡本太
郎記念館の企画展（2021）。

岡本太郎記念館サロン

応接間として使われていた部屋を当
時のままに保存している。メキシコか
ら持ち帰ったピンクの造形（右奥）
を除き、テーブル・椅子からカップ・
灰皿に至るまで、すべてが岡本太郎
自身がデザインしたもので埋め尽く
されている。

大きな眼玉。赤、黄、ブルー、緑、華やかな原色の、翼のような、腕のような、羽毛のような彩りが体いっぱいに躍る。さらに眼玉のまわりには同じ原色の、炎のようなまつ毛。お化粧を終った飛行船はあの灰色の、のっぺりしたもとの姿とはまるで違った姿に生まれかわった。まさしく生きもの、魚のような、鳥のような、子供のような、何ともいえぬ生命感をみなぎらして、じっと飛びたつ時を待っている。

《飛行船に絵を描く》1973

84

岡本太郎作
「顔のグラス」
提供
ロバート
ブラウン

《はなびらの座》1970

《夢の鳥》1977	《顔のグラス》1976	
	《光る時計》1967	《近鉄バッファローズ マーク》1959
《足あと広場》1978	《顔のスピーカー》1971	
	《太郎の手の時計》1972	

主なパブリックアート

金持ちに買ってもらうために描かれる絵、銀行預金のようにしまっておくための芸術なんて、なんの意味があるか! 芸術は大衆のもの。岡本芸術の根幹にあるのはこの思想です。絵を売らなかったのも、周囲の反対を押しきってウイスキーのオマケをつくったのも、芸術を大衆の生活の中に解放したいと考えていたから。そんな太郎にとって、いつでもだれでもタダで見られるパブリックアートはまさに絶好のステージでした。「太陽の塔」「こどもの樹」「若い時計台」「誇り」「縄文人」…、岡本太郎は全国に数多くの公共作品をつくりました。それは東北から九州まで全国に及び、いまも見る者を挑発し続けています。おそらく岡本太郎ほど数多くのパブリックアートを実現させたアーティストは他にいないでしょう。

山形
《生誕》1967
寒河江市役所(寒河江市)→ ❷

群馬
《太陽の鐘》2018
広瀬川河畔(前橋市)→ ❸

長野
《乙女》1988
野沢温泉村役場(野沢温泉村)→ ⓲
《ハンネス・シュナイダー記念碑》1974
野沢温泉スキー場(野沢温泉村)
《安曇野》1988
松川村役場(松川村)

岐阜
《未来を拓く》1988
岐阜メモリアルセンター(岐阜市)→ ⓴
《歓喜の鐘》1989
大垣女子短大(大垣市)

福井
《月の顔》1989
越前陶芸村(越前町)→ ⓳

徳島
《いのち踊る》1983
大塚製薬徳島工場(徳島市)

島根
《神話》1982
松江総合運動公園(松江市)→ ㉑

佐賀
《花炎》1996
歴史と文化の森公園(有田町)
《若い夢》1984
かわでん九州工場(佐賀市)

大分
《緑の太陽》1969
旧サンドラッグビル(別府市)

広島
《足あと広場》1978
あしあとスクエア(福山市)→ ㉒

兵庫
《躍動》1981
総合スポーツ会館(姫路市)→ ㉗
《若い泉》1974
バーズタウン(姫路市)
《椎名麟三文学碑》1980
書写山圓教寺(姫路市)

青森
《森の神話》1991
《河神》1996
奥入瀬渓流ホテル(十和田市)

岩手
《縄文人》1998
藤沢文化センター(一関市)→ ❶

栃木
《夢の樹》2012
新鹿沼駅(鹿沼市)

茨城
《未来を視る》2005
万博記念公園駅(つくば市)→ ❹

東京
《明日の神話》2008
渋谷駅(渋谷区)→ ❽
《天に舞う》1974
NHKスタジオパーク(渋谷区)→ ❾
《こどもの樹》1985
旧こどもの城(渋谷区)→ ❿
《眼》他 1964
国立代々木競技場(渋谷区)→ ⓫
《若い時計台》1966
数寄屋橋公園(中央区)→ ⓬
《若い夢》1996・《顔》1954
多磨霊園(府中市)→ ⓭⓮

千葉
《躍動の門》《五大陸》1993
浦安市運動公園(浦安市)→ ❺❻
《平和を呼ぶ》1988
アンデルセン公園(船橋市)→ ❼

神奈川
《誇り》1962
二子神社(川崎市)→ ⓯
《母の塔》1999
岡本太郎美術館(川崎市)→ ⓰
《呼ぶ─赤い手/青い手》1982
相模原西門商店街(相模原市)→ ⓱
《海辺の太陽》1980
並木幼稚園(横浜市)
《太陽》1985
そごう横浜店(横浜市)
《青空》《マスク》1995
とどろきアリーナ(川崎市)
《空の散歩》2004
ミューザ川崎(川崎市)
《喜び》1985
藤崎小学校(川崎市)
《午後の日》1981
向の岡工業高校(川崎市)
《水火清風》1995
入江崎総合スラッジセンター(川崎市)

愛知
《歓喜》1965
久国寺(名古屋市)→ ㉓
《若い太陽の塔》1975
日本モンキーパーク(犬山市)→ ㉔

三重
《であい》1994
サンアリーナ(伊勢市)

京都
《眼と眼 コミュニケーション》
京都外国語大学(京都市)

大阪
《太陽の塔》1970
日本万国博覧会記念公園(吹田市)→ ㉕
《ダンス》2011
高島屋大阪店(大阪市)→ ㉖
《みつめあう愛》1990
ダスキン本社ビル(吹田市)

88

岡本太郎記念館

1998年開館。岡本太郎が42年にわたって住まい、作品をつくりつづけた南青山のアトリエをそのまま公開したもの。坂倉準三の手による旧館はそのままに、隣接していた木造2階建ての書斎／彫刻アトリエを新築の展示棟に建て替えた。当時のままに保存されている絵画アトリエでは、テーブル上の道具、床に飛び散った絵具、棚に押し込まれた描きかけの作品など、太郎の息吹をビビッドに感じることができる。また応接や打合せに使われていた"サロン"や、太郎の美意識を体感できる庭も、純度100%のTARO空間だ。いっぽう展示棟では太郎を切り口にした多彩な企画展示が開催されている。

[開館時間]10：00～18：00（最終入館17：30） [休館日]火曜日（祝日の場合は開館）、年末年始および展示替え、保守点検日 〒107-0062 東京都港区南青山6-1-19 TEL：03-3406-0801

川崎市岡本太郎美術館

1999年開館。個人美術館としては最大級の規模を誇り、岡本太郎の主要作品のほぼすべてを収蔵する。常設展示棟と企画展示棟の2つのウイングをもち、常設展示棟では一般的なホワイトキューブ型展示とは異なる総合演出型の展示空間が広がっている。いっぽうの企画展示棟では太郎を読み解くさまざまな視点からの企画展示が行われる。敷地奥には高さ30mの《母の塔》が立つ。

[開館時間]9：30～17：00（最終入館16：30）　[休館日]月曜日（祝日の場合は開館）、年末年始および展示替え、保守点検日　〒214-0032 神奈川県川崎市多摩区枡形7-1-5 TEL：044-900-9898

太陽の塔（万博記念公園内）

大阪万博の会場跡地が緑地公園になっている。パビリオンはほぼすべて撤去されたが、太陽の塔と鉄鋼館（現EXPO'70パビリオン）だけは残った。敷地内には、万博テーマ館地下展示の民族資料が呼び水となって設立された国立民族学博物館もある。太陽の塔は中央口を入った正面。2018年に恒久展示施設となり、塔内を観覧することができる。

[開館時間]10：00～17：00（最終受付16：30）　[休館日]万博記念公園に準じる（水曜日／祝日の場合は翌日木曜日）
〒565-0826 大阪府吹田市千里万博公園1-1 TEL：0120-1970-89

岡本太郎の歩み

2月26日
漫画家の岡本一平、歌人・小説家の 岡本かの子の長男として生まれる

1911

1929 ━━ 東京美術学校 （現東京藝大）に入学／ 父母の渡欧に同行

1930 ━━ パリでの生活がはじまる

1933
アブストラクシオン・クレアシオン （抽象・創造）協会に最年少で参加

『傷ましき腕』を発表 ━━ 1936
パリ大学でマルセル・モースに師事し民族学を学ぶ ━━ 1937

最後の引揚げ船・白水丸で帰国 ## 1940

現役初年兵として中国戦線に出征 ━━ 1942

半年間の俘虜生活を経て復員／ 上野毛にアトリエを構える ## 1946

1949 ━━ 《重工業》を発表
1950 ━━ 《森の掟》を発表
1951 ━━ 東京国立博物館で縄文土器を見て衝撃を受ける

1954
南青山にアトリエ住居が完成／『今日の芸術』刊行

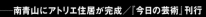

銀座の夜空に ヘリコプターで絵を描く ━━ 1955

東京都庁舎に《日の壁》等 7点の陶板レリーフを制作 ／『日本の伝統』刊行 ━━ 1956

1957 ━━ 「芸術風土記」の 連載で東北はじめ 日本各地を取材

『沖縄文化論』刊行 ━━ 1961

母かの子の文学碑《誇り》を制作 ━━ 1962

1964	国立代々木競技場に《競う》等 8面の陶板レリーフを制作
1965	久国寺に梵鐘《歓喜》を制作
1966	数寄屋橋に《若い時計台》を制作／沖縄を再訪しイザイホーの神事を取材
1967	大阪万博のテーマプロデューサーに就任
1968	はじめての建築《マミ会館》が竣工
1969	メキシコにて《明日の神話》が完成
1970	大阪万博開幕／太陽の塔を含むテーマ館が完成 館長に就任
1973	飛行船に絵を描く
1975	太陽の塔の永久保存が決まる
1976	《顔のグラス》を制作
1981	「芸術は爆発だ!」が流行語に
1985	青山こどもの城に《こどもの樹》を制作
1991	主要作品の大半を川崎市に寄贈
1996	1月7日死去
1997	岡本太郎記念現代芸術振興財団設立／TARO賞創設
1998	東京・南青山に岡本太郎記念館が開館
1999	川崎市岡本太郎美術館が開館
2005	岡本敏子急逝／《明日の神話》日本到着、修復作業がはじまる
2006	《明日の神話》修復完了、日本テレビで一般公開／岡本太郎記念館で《電撃》発見
2007	《明日の神話》東京都現代美術館で特別公開
2008	《明日の神話》渋谷駅通路に恒久設置
2011	生誕百年事業「TARO100祭」が展開される／東京国立近代美術館で「岡本太郎展」開催
2018	太陽の塔の耐震補強と内部再生が完了、恒久展示施設として公開がはじまる

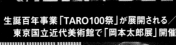

岡本太郎

- 青春ピカソ／新潮社 1953
- 今日の芸術／光文社 1954
- 日本の伝統／光文社 1956
- 芸術と青春／河出書房 1956
- 日本再発見──芸術風土記／新潮社 1958
- 沖縄文化論──忘れられた日本／中央公論社 1961
- 私の現代芸術／新潮社 1963
- 神秘日本／中央公論社 1964
- 今日をひらく──太陽との対話／講談社 1967
- 日本列島文化論／大光社 1970
- 世界の仮面と神像／朝日新聞社 1970
- 美の呪力──わが世界美術史／新潮社 1971
- 挑戦するスキー／講談社 1977
- 岡本太郎／平凡社 1979
- 岡本太郎著作集(全9巻)／講談社 1980
- 遊ぶ字／日本学芸出版社 1981
- 美の世界旅行／新潮社 1982
- 自分の中に毒を持て／青春出版社 1988
- 母の手紙／チクマ秀版社 1993
- 一平 かの子／チクマ秀版社 1995
- 呪術誕生(岡本太郎の本1)／みすず書房 1998
- 日本の伝統(岡本太郎の本2)／みすず書房 1999
- 神秘日本(岡本太郎の本3)／みすず書房 1999
- わが世界美術史(岡本太郎の本4)／みすず書房 1999
- 宇宙を翔ぶ眼(岡本太郎の本5)／みすず書房 2000
- リリカルな自画像／みすず書房 2001
- 疾走する自画像／みすず書房 2001
- 強く生きる言葉／イースト・プレス 2003
- 壁を破る言葉／イースト・プレス 2005
- 愛する言葉／イースト・プレス 2006
- 人間は瞬間瞬間に、いのちを捨てるために生きている／イースト・プレス 2007
- ピカソ講義／筑摩書房 2009
- 対極と爆発(岡本太郎の宇宙1)／筑摩書房 2011
- 太郎誕生(岡本太郎の宇宙2)／筑摩書房 2011
- 伝統との対決(岡本太郎の宇宙3)／筑摩書房 2011
- 日本の最深部へ(岡本太郎の宇宙4)／筑摩書房 2011
- 世界美術への道(岡本太郎の宇宙5)／筑摩書房 2011
- 太郎写真曼荼羅(岡本太郎の宇宙 別巻)／筑摩書房 2011
- 自分の運命に盾を突け／青春出版社 2014
- 原色の呪文／講談社 2016
- 孤独がきみを強くする／興陽館 2016
- 自分の中に孤独を抱け／青春出版社 2017
- 岡本太郎の眼／KADOKAWA 2020

その他

- 岡本太郎と横尾忠則 倉林靖／白水社 1996
- 岡本太郎に乾杯 岡本敏子／新潮社 1997
- 岡本太郎がいる 岡本敏子／新潮社 1999
- 芸術は爆発だ 岡本敏子／小学館 1999
- 岡本太郎の世界 岡本敏子・斎藤慎爾＝編／小学館 1999
- 太郎神話 岡本敏子＝編／二玄社 1999
- 新太郎神話 岡本敏子＝編／二玄社 2000
- 岡本太郎宣言 山下裕二／平凡社 2000
- 赤い兎――岡本太郎頌 村上善男／創風社 2000
- 岡本太郎が撮った「日本」岡本敏子・山下裕二＝編／毎日新聞社 2001
- 体感美術館――川崎市岡本太郎美術館の展示空間 平野暁臣／青松社 2001
- いま、生きる力 岡本敏子／青春出版社 2002
- 奇跡 岡本敏子／集英社 2003
- 黒い太陽と赤いカニ――岡本太郎の日本 椹木野衣／中央公論新社 2003
- 連続講座 岡本太郎と語る 岡本太郎記念館＝編／二玄社 2003
- 岡本太郎 神秘 岡本敏子・内藤正敏＝編／二玄社 2004
- 戦争と万博 椹木野衣／美術出版社 2005
- 明日の神話――修復960日の記録 吉村絵美留／青春出版社 2006
- 明日の神話――岡本太郎の魂 明日の神話再生プロジェクト＝編／青春出版社 2006
- 岡本太郎の見た日本 赤坂憲雄／岩波書店 2007
- 自分を賭けなきゃ 岡本敏子／イースト・プレス 2009
- 岡本太郎――太陽の塔と最後の闘い 平野暁臣／PHP 研究所 2009
- 岡本太郎という思想 赤坂憲雄／岩波書店 2010
- 謎解き 太陽の塔 石井匠／幻冬舎 2010
- ドキドキしちゃう――岡本太郎の"書" 平野暁臣＝編／小学館 2010
- 岡本太郎の仕事論 平野暁臣／日本経済新聞出版社 2011
- 岡本太郎の友情 岡本敏子／青春出版社 2011
- 岡本太郎 爆発大全 椹木野衣＝編／河出書房新社 2011
- 太郎と爆発――来るべき岡本太郎へ 椹木野衣／河出書房新社 2012
- これから――岡本太郎の"書" 平野暁臣＝編／小学館 2012
- TARO100祭――岡本太郎生誕100年の記録 平野暁臣＝編／二玄社 2012
- 大阪万博――20世紀が夢見た21世紀 平野暁臣＝編／小学館 2014
- 岡本太郎にであう旅 大杉浩司＝編／小学館 2015
- 万博の歴史――大阪万博はなぜ最強たり得たのか 平野暁臣／小学館 2016
- 岡本太郎の沖縄 平野暁臣＝編／小学館 2016
- 岡本太郎の東北 平野暁臣＝編／小学館 2017
- 太陽の塔 平野暁臣＝編／小学館 2018
- 岡本太郎と太陽の塔 平野暁臣＝編／小学館 2018
- 「太陽の塔」新発見! 平野暁臣／青春出版社 2018
- 太陽の塔――岡本太郎と7人の男たち 平野暁臣／青春出版社 2018
- 岡本太郎――芸術という生き方 平野暁臣／あかね書房 2018
- 岡本太郎記念館の20年 平野暁臣／小学館 2019

協力
公益財団法人岡本太郎記念現代芸術振興財団／岡本太郎記念館
川崎市岡本太郎美術館
東京国立近代美術館
大阪府日本万国博覧会記念公園事務所
現代芸術研究所

2021年12月15日　初版第1刷発行

編著
ひらの あきおみ
平野暁臣

発行者
笹田大治

発行所
株式会社興陽館
〒113-0024 東京都文京区西片1-17-8 KSビル
TEL 03-5840-7820　FAX 03-5840-7954　URL https://www.koyokan.co.jp

ブックデザイン
鈴木成一デザイン室

校正
新名哲明

編集補助
飯島和歌子＋伊藤桂

編集人
本田道生

印刷
恵友印刷株式会社

製本
ナショナル製本協同組合